Redactie:	Larry Iburg
Omslagontwerp:	Erik de Bruin, www.varwigdesign.com
	Hengelo
Lay-out:	Christine Bruggink, www.varwigdesign.com
Druk:	Grafistar, Lichtenvoorde
Foto's:	Rijkswaterstaat (Omslag, Pagina 4, 63)

2e druk, 2016

ISBN 978-90-8660-174-5

WIJ WILLEN WETEN

Nr 50

Deltawerken

Jan van Evert

ELLESSY
JEUGD

De Maeslantkering.

Inhoudsopgave

Een wereldwonder.

Inleiding

Dit jaar (2014) is het eenenzestig jaar geleden dat Nederland getroffen werd door de watersnoodramp. Een ramp van ongekende omvang zoals Nederland in geen twee eeuwen had meegemaakt. In Zeeland wordt de ramp nog steeds elk jaar op 1 februari herdacht.

De deltawerken die hierna werden gebouwd, hebben Nederland wereldberoemd gemaakt op het gebied van bescherming tegen de zee. Maar ook nu de deltawerken klaar zijn, moeten we blijven werken aan het beschermen van Nederland tegen overstromingen. Ook rivieren kunnen gevaarlijk zijn. Op het moment dat ik dit schrijf, zijn in Duitsland, Oostenrijk, Tsjechië en Zwitserland enkele steden gedeeltelijk ondergelopen. Grote aantallen mensen moesten hun huizen verlaten. Op de televisie zijn beelden te zien die aan Zeeland in 1953 doen denken. Gelukkig is er slechts een klein aantal slachtoffers gevallen. Er moet dus nog veel gedaan worden om steden tegen hoge waterstanden te beschermen. Door de opwarming van de aarde verandert het klimaat met onder andere meer regen als gevolg. Ook hiermee zal rekening gehouden moeten worden. De deltawerken mogen dan klaar zijn, de strijd tegen het water is dat nooit.
Cursief (schuin) geschreven woorden worden achterin uitgelegd in de verklarende woordenlijst.

Jan van Evert

1. De Watersnoodramp van 1953

In de nacht van zaterdag 31 januari op zondag 1 februari 1953 deed zich een bijzondere situatie voor. Er
woedde niet alleen een noordwesterstorm, maar het
was ook springtij. Dat betekent dat het verschil tussen
eb en vloed groter is dan normaal. Eb en vloed worden
veroorzaakt door de aantrekkingskracht van de maan,
die het water in de oceanen naar zich toetrekt. Springtij
wordt veroorzaakt doordat de zon, de maan en de aarde
in een rechte lijn staan.

Hierdoor versterkt de zwaartekracht van de zon die van de maan.
In de nacht van de ramp woedde boven zee een zeer zware noordwesterstorm (windkracht 11), boven land stond een zware storm
(windkracht 10). Er was dus geen sprake van een orkaan (windkracht 12) zoals in sommige boeken en websites nog steeds is te
lezen. De storm stuwde het water van de Noordzee op tot 4,20
meter boven *NAP (Normaal Amsterdams Peil)*. Dat de wind uit
het noordwesten waaide, maakte de situatie extra gevaarlijk. Dat
zit zo: als je op de kaart kijkt, zie je dat de Noordzee in het zuiden
heel smal wordt: deze plaats heet niet voor niets het Nauw van
Calais. Als de wind het water die kant opstuwt, kan het niet zo
makkelijk wegstromen als bij een zuidwestenwind.
Het hoogwaterrecord werd bereikt bij Bruinisse waar het waterpeil
steeg tot *NAP* + 4,5 meter. Dat bleek te veel voor de dijken in zuid-
west Nederland. Er ontstonden honderden gaten en bijna 200.000
hectare land werd overspoeld met zeewater. Door de ramp overstroomde een groot deel van de provincie Zeeland, het westen van
Noord-Brabant en de Zuid-Hollandse eilanden. Zelfs een klein
stuk van het waddeneiland Texel kwam onder water te staan.
Het duurde erg lang voordat er hulp op gang kwam. In die tijd

hadden maar heel weinig mensen telefoon en die was ook nog eens uitgevallen. Mobiele telefoons, internet: het was allemaal nog lang niet uitgevonden. Schouwen-Duiveland was het eiland dat het zwaarst getroffen was door overstromingen. Vrijwel het hele eiland stond onder water. Pas na twee dagen vloog er een vliegtuig overheen om de situatie te bekijken. Op zondag reed een groep vissers uit Urk met een bus via België naar Breskens in Zeeuws-Vlaanderen, waar hun schepen lagen. Van daaruit voeren zij van havenplaats naar havenplaats en lieten overal een schip achter. Op die manier konden de bewoners de radiozender van het vissersschip gebruiken om de buitenwereld om hulp te vragen. Later kwamen er ook vissersschepen uit andere plaatsen in Nederland te hulp. Het leger werd ingeschakeld om mensen te redden en de gaten in de dijken te dichten.

Er kwam hulp uit landen van over de hele wereld bij het redden van mensen, vee en goederen. Het Amerikaanse leger in Duitsland stuurde *amfibievoertuigen* en het Belgische leger helikopters. Die waren in die tijd nog zeldzaam. De Scandinavische landen leverden veel bouwmaterialen, soms zelf hele *prefab-huizen*. Op de ra-

Vloed 1953.

dio (televisie was er nog niet) werd van 7 februari tot 28 maart een massale geldinzamelingsactie gehouden met als leus: 'Beurzen open, dijken dicht'. Aan het einde van de actie werd zes miljoen gulden (de euro bestond toen nog niet) overhandigd aan het Rampenfonds. Het Rode Kruis ontving zoveel goederen dat ze na enige tijd niet meer wist wat ze er mee aan moest.

Toch kostte deze ramp in Nederland het leven van 1.835 mensen, 35.000 stuks vee en vele huisdieren. Er moesten 72.000 mensen worden geëvacueerd. De totale schade werd achteraf geschat op anderhalf miljard gulden. Ook andere landen aan de Noordzee werden getroffen door de storm: in Engeland, België en Duitsland vonden overstromingen plaats en vielen honderden slachtoffers. Doordat op zee vele schepen vergingen, vielen daar ook nog eens 224 doden.

Pas toen op 6 november 1953 het laatste dijkgat bij Ouwerkerk

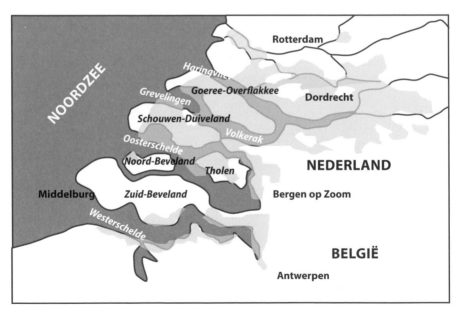

De overstroomde gebieden.

werd gedicht, was het ergste voorbij. Daarna moest natuurlijk nog wel een enorme hoeveelheid zeewater weggepompt worden.
De Watersnood van 1953 was zonder meer de ergste natuurramp in Nederland in meer dan twee eeuwen! Het water heeft niet alleen vele huizen en andere gebouwen verwoest, maar richtte nog meer schade aan. Nadat het land weer droog was, wilden veel boeren niet meer terugkeren omdat hun akkers onvruchtbaar waren geworden door het zoute zeewater.

Er zijn vele boeken over de watersnoodramp geschreven en in 2009 kwam de film 'De Storm' uit van regisseur Ben Sombogaart. De belangrijkste spelers zijn Sylvia Hoeks en Barry Atsma.
In Ouwerkerk op Schouwen-Duiveland staat het Nationaal Monument Watersnood 1953 en kun je ook het Watersnoodmuseum bezoeken. Dat is gevestigd in een van de *caissons* die werden gebruikt voor het dichten van het gat in de dijk. Op 6 november 2003, vijftig jaar na de sluiting van het laatste dijkgat bij Ouwerkerk, zijn door minister Remkes de vier *caissons*, met de omgeving, tot Nationaal Monument Watersnood 1953 verklaard. Vrijwel elke stad en dorp in het rampgebied heeft wel een monument om de slachtoffers van de ramp te herdenken.

2. Het Deltaplan

Veel mensen denken dat het deltaplan pas werd opgesteld naar aanleiding van de watersnoodramp. *Rijkswaterstaat* besefte echter al in de jaren twintig van de vorige eeuw dat veel dijken in het deltagebied te laag en te zwak waren, en werkte aan plannen om de zeearmen af te sluiten door het aanleggen van dammen. Ook de naam 'Deltaplan' is al veel ouder. Op 7 januari 1948 komt de naam al voor in de kop van een krantenartikel van journalist Klaas Graftdijk van Het Vrije Volk. Dit artikel gaat over de plannen om de zeearmen af te sluiten.

Al twintig dagen na de ramp, op 21 februari 1953, installeert Jacob Algera, de minister van Verkeer en Waterstaat, de Deltacommissie onder leiding van August Maris, directeur-generaal van Rijks-

De noodzaak van de dijken verhogen.

12

waterstaat. Deze commissie bestond uit veertien deskundigen. Zij hadden twee keuzes: óf het verhogen en versterken van ruim duizend kilometer aan dijken, óf het afsluiten van enkele zeegaten waardoor de door stormvloeden bedreigde kustlijn veel korter zou worden. Alleen de zeeverbindingen met Rotterdam, Antwerpen en Gent moesten open blijven voor de scheepvaart.

Tussen mei 1953 en oktober 1955 gaf de Deltacommissie de volgende tussentijdse adviezen:

1. Het verhogen van de Schouwense Dijk op Schouwen-Duiveland tot 5 meter boven *NAP*, in tegenstelling tot de eerder bedoelde 3,5 meter. De dijk zou ten aanzien van de stormrichting te ongunstig liggen.

2. Afsluiting van de Hollandse IJssel. Deze rivier ontspringt ten zuiden van Utrecht en mondt bij Rotterdam uit in de Nieuwe Maas. Als de IJsseldijken doorbreken, zou een gebied waar ruim anderhalf miljoen mensen wonen en werken onder water lopen. De Deltacommissie koos voor een stormvloedkering omdat het verzwaren van de dijken veel duurder is en de bouw van een kering sneller gaat.

3. Het Drie Eilandenplan: door de afsluiting van het Veerse Gat en de Zandkreek worden Noord- en Zuid-Beveland en Walcheren met elkaar verbonden. Dit plan was al ver voor de ramp bedacht, maar tot dan toe niet uitgevoerd. Men zag dit plan als een voorbereiding op de grotere afsluitingen die nog moesten volgen. Daarom werd er op aangedrongen hier snel mee te beginnen. De ervaring die de bouw van deze dammen zou opleveren, kon later goed worden gebruikt bij de bouw van de overige afsluitingen.

4. Het afsluiten van enkele zeegaten: Het Haringvliet, de Grevelingen, de Oosterschelde en het Veerse Gat. Verder wilde men in het oosten nog meer dammen bouwen: Volkerak, Grevelingen en Zandkreek. De zeewerende dijken in Zeeland zouden door dit plan verkort worden van 700 kilometer tot nog maar tachtig kilometer. Een enorme verbetering van de veiligheid!

5. Een opsomming van de voor- en nadelen en de geschatte kosten. Die bedroegen 1,5 tot 2 miljard gulden (680 tot 900 miljoen euro) Men dacht het plan binnen 25 jaar is uit te voeren.

In het eindrapport werden nog meer maatregelen genoemd. De belangrijkste daarvan zijn:

- Het versterken van de bestaande dijken langs de Westerschelde;
- Het versterken van de bestaande dijken langs het deel van de kust dat buiten de dammen ligt;
- De bouw van een beweegbare afsluiting in de Oude Maas (bij Rotterdam).

De Deltacommissie diende op 16 november 1955 het ontwerp van de Deltawet in bij de Tweede Kamer. Pas ruim twee jaar later stemde het parlement met grote meerderheid in met het wetsvoorstel. Op 8 mei 1958 ondertekende Koningin Juliana de Deltawet en was deze van kracht. Volgens het plan worden de belangrijkste zeegaten in het zuidwesten van Nederland afgesloten met dammen. Behalve het vergroten van de veiligheid is ook een verbetering van de zoetwaterhuishouding een doel van het Deltaplan. Verantwoordelijk voor de uitvoering van het grootste deel van de deltawerken werd de Deltadienst, een speciaal hiervoor opgerichte dienst van Rijkswaterstaat.

De beslissingen in kaart.

De stormvloedkering in de Hollandse IJssel

Al voor het indienen van de wet was het werk al gestart: in 1953 werd begonnen met de bouw van de stormvloedkering in de Hollandse IJssel, vlakbij Rotterdam. Een groot deel van de Randstad was tijdens de watersnood maar net aan een grote ramp ontsnapt. De Schielandse Hoge Zeedijk had het maar nauwelijks gehouden. Deze dijk, tussen Schiedam en Gouda langs de Hollandse IJssel, beschermt maar liefst drie miljoen inwoners tegen overstromingen. Daarom werd dit probleem als eerste aangepakt. Men koos voor een beweegbare stormvloedkering, om de scheepvaart en de doorstroming van het water zo min mogelijk te hinderen.

De kering bestaat uit twee stalen schuiven, elk tachtig meter lang en twaalf meter hoog, die op twaalf meter hoogte boven het water tussen twee torens hangen. Normaal varen schepen gewoon onder de schuiven door. Alleen in noodgevallen laat men de schuiven zakken om zo de tachtig meter brede rivier waterdicht af te sluiten. Als de kering gesloten is, kunnen schepen er toch langs via de sluis die er naast ligt. Deze is 120 meter lang en 24 meter breed zodat

De stormvloedkering in de Hollandse IJssel.

ook grotere schepen, die langs de rivier gebouwd worden, er altijd langs kunnen. Over de stormvloedkering werd een weg aangelegd, de eerste verbinding tussen de Krimpenerwaard en het vasteland van Zuid-Holland. In januari 1954 begon men met de eerste baggerwerkzaamheden. Op 6 mei 1958 vond de eerste proefsluiting plaats met de eerste schuif. Tijdens de officiële opening van de brug, op 22 oktober 1958, werd deze Algerabrug genoemd, naar de kort daarvoor afgetreden Minister van Verkeer en Waterstaat. Pas op 4 november 1977 werd de tweede reserveschuif geplaatst. De eerste schuif werd in 1994 uit de kering gehaald en volledig opgeknapt.

De vader van het Deltaplan

Johan van Veen leefde van 1893 tot 1959. Hij studeerde civiele techniek aan de Technische Hogeschool (TH) van Delft en werkte daarna bij Provinciale Waterstaat van Drenthe en enkele jaren in Suriname. Terug in Nederland ging hij in 1929 bij Rijkswaterstaat werken. In 1933 ging hij bij de in 1929 opgerichte Studiedienst van de Zeearmen, Benedenrivieren en Kusten werken. Al vanaf 1937 waarschuwde hij in publicaties voor zijn werk, en in publicaties onder de schuilnaam 'dr. Cassandra', voor de te lage dijken in zuidwest Nederland. Die bijnaam, zo zou later blijken, had hij niet beter kunnen kiezen. Cassandra was een figuur uit een oud Grieks verhaal (mythe). Zij had de gave om de toekomst te kunnen voorspellen maar ook de beper-

Johan van Veen

17

Dijkdoorbraak Hollandse IJssel.

king dat niemand haar zou geloven wanneer ze een voorspelling deed.

In 1938 bracht Van Veen het rapport 'Te verwachten stormvloedstanden op de benedenrivieren' uit. Hij maakte berekeningen tot het jaar 2000. De dijken bleken overal veel te laag. Naar aanleiding van dit rapport en andere studies in de jaren dertig werd de Stormvloedcommissie ingesteld. In 1940 bracht deze commissie een voorlopig rapport uit waarin stond dat de dijken inderdaad te laag waren. Omdat dijkverhoging op veel plaatsen niet mogelijk was, werd door Van Veen en de Studiedienst gewerkt aan plannen om enkele Zuid-Hollandse eilanden door dammen met elkaar te verbinden. In april 1943 was er ook al een zware storm die de dijken in Zeeland ernstig beschadigde. Er is toen een uitgebreid onderzoek gedaan waarbij de zwakke plekken in de dijken in kaart werden gebracht. Het waren inderdaad die plaatsen die in februari

1953 zouden bezwijken door de storm. In 1946 concludeerde de Stormvloedcommissie, waarvan Van Veen inmiddels secretaris was geworden, dat alle dijken in zuid-west Nederland te laag waren. Daarom werd in 1950 eindelijk begonnen met de afdichting van de Brielse Maas. De Brielse Maasdam ligt ten westen van het stadje Brielle, bij Oostvoorne. In 1952 lichtte Van Veen het tijdschrift Elsevier in over de gevaarlijke toestand van de dijken. Maar de hoofdredacteur wilde deze 'paniekzaaierij' niet publiceren. In december van dat jaar vroeg de minister van Verkeer- en Waterstaat de Studiedienst een onderzoek te doen naar de afsluiting van de zeearmen tussen Walcheren en Voorne (het eiland waar Brielle op ligt). Het rapport 'De afsluitingsplannen der Tussenwateren' verscheen toevallig eind januari 1953, vlak voor de watersnoodramp dus. Als er eerder en beter naar Van Veen geluisterd was, dan waren de gevolgen van de watersnoodramp misschien wel veel minder erg geweest.

Een rekenmachine

Er moesten veel ingewikkelde berekeningen gemaakt worden om de gevolgen van de afdammingen voor de getijdenbeweging te kunnen voorspellen. De computers in die tijd waren nog zeer primitief en niet geschikt hiervoor. Rijkswaterstaat gaf in 1955 opdracht aan de TH Delft om onderzoek te verrichten naar de technische mogelijkheden om een rekenapparaat te bouwen. Die ontwierp daarop in nauwe samenwerking met Rijkswaterstaat de Deltar (Delta Getij Analogon Rekenmachine). Deze werd van 1960 tot 1984 gebruikt voor de uitvoering van de Deltawerken. De Deltar lijkt totaal niet op de moderne elektronische rekenmachines. Het apparaat nam een hele zaal in beslag!

3. Het Drie Eilandenplan

Er werd flink de vaart gezet in de bouw van de deltawerken. In 1957 begon de bouw van de Volkerakdam en
in 1958 startte zowel de bouw van de Grevelingendam
als die van de Haringvlietdam. Maar we beginnen met
de twee dammen die als eerste klaar waren: het Drie
Eilandenplan

Dit plan was al in de jaren dertig van de vorige eeuw
bedacht om Walcheren en Noord- en Zuid-Beveland
met elkaar te verbinden. Toen had het vooral landaan-
winning als doel. Het bestaat uit de Zandkreekdam en
de Veerse Gatdam. Het Drie Eilandenplan werd opge-
nomen in het Deltaplan.

De Zandkreekdam

De Zandkreekdam was de eerste dam die voor de deltawerken gebouwd werd. Hij ligt in de Zandkreek, de waterloop tussen het
oosten van Noord-Beveland en Wilhelminadorp op Zuid-Beveland.
De Zandkreekdam is 830 meter lang.
In het oorspronkelijke Deltaplan, waarbij de Oosterschelde zou
worden afgesloten, was de Zandkreekdam niet nodig. Maar omdat
de Oosterschelde pas veel later zou worden afgesloten, was de dam
wel nodig. Als het Veerse Gat dicht zou zijn en de Oosterschelde
nog open, zouden de getijstromen de Zandkreek heel snel tot ver
buiten de bestaande grenzen hebben uitgeschuurd. Door een dam
te bouwen wordt dit voorkomen. Vergelijkbare problemen hebben
geleid tot het bouwen van de Grevelingendam en de Volkerakdam.
Om ervoor te zorgen dat de scheepvaart door de dam kan, werd
er eerst een sluis gebouwd. In 1957 begon men met de aanleg van
de bouwput voor de sluis op het *schor* voor de kust van Noord-

Beveland. De bouwput werd met een korte dam met de oever van Noord-Beveland verbonden. In de periode 1958-1959 werd de sluis gebouwd. Door de aanleg van de dam en de sluis was de Zandkreekdam al 300 meter korter geworden.

In 1959 begon men met de bouw van de dam. Hiervoor werden twaalf standaard*caissons* gebruikt die 11 meter lang waren, 7,5 meter breed, en 6 meter hoog. Eerst werd een 'drempel' aangelegd; een verhoging van de zeebodem waar de *caissons* stevig op kunnen staan. Nadat een *caisson* was geplaatst, moest er nog een opzetstuk bovenop worden gezet. Dat moest snel gebeuren: voordat het hoogwater werd. Dit was omdat het *caisson* zonder opzetstuk niet hoog genoeg was en anders tijdens vloed zou overstromen. Op dezelfde dag dat de *caissons* waren geplaatst, moesten er ook nog zand en stenen aan beide zijden van de dam aangebracht worden. Dat was nodig om te voorkomen dat er water onder de *caissons* door kon stromen waardoor ze van hun plaats kunnen schuiven.

Veerse Gatdam.

21

De sluiting van de dam moest bij lage waterstanden plaatsvinden, en bij voorkeur tijdens de periode van 'doodtij'. Dat is het moment dat twee keer per maand voorkomt waarbij het verschil tussen eb en vloed het kleinst is. Dat gebeurde op 3 mei 1960 toen in het laatste gat twee aan elkaar gekoppelde *caissons* werden afgezonken. Op deze plek staat tegenwoordig een gedenksteen. Op 18 mei 1960 reed Koningin Juliana tijdens een bezoek aan Zeeland in een jeep over de dam van Noord- naar Zuid-Beveland. De dam werd op 1 oktober 1960 officieel geopend door de Commissaris der Koningin in Zeeland, jonkheer A.F.C. de Casembroot.

De Veerse Gatdam

Op 27 april 1961 werd het Veerse Gat met een dam afgesloten: de Veerse Gatdam of Veersedam. Hierdoor werd Walcheren met Noord-Beveland verbonden en ontstond het Veerse Meer. De dam is met een lengte van 2,8 kilometer ruim drie keer zo lang als de Zandkreekdam en loopt van Walcheren naar Noord-Beveland. Het is gedeeltelijk een met asfalt beklede dijk aangelegd op de Plaat van Onrust, een *zandplaat* bij de noordwestpunt van Noord-Beveland. Deze *zandplaat* vormde een ongeveer drie kilometer grote punt aan het eiland.

In 1958 werd begonnen met de voorbereidende werkzaamheden. Deze bestonden onder andere uit de aanleg van een anderhalve kilometer lange dam op de Plaat van Onrust. De dam was al op 6 juni van dat jaar klaar. Aan de kant van Noord-Beveland bleef nog een gat over wat men met *caissons* wilde afsluiten. Maar dat zou niet gemakkelijk worden. Zowel bij eb als bij vloed stond er een sterke stroming waarbij er ruim zeventig miljoen kubieke meter water door de monding stroomde. Als het gat gedicht zou worden met dezelfde soort *caissons* als bij de Zandkreekdam werden gebruikt, dan zou de stroming op een gegeven moment te sterk worden. Immers, hoe kleiner het gat, hoe sterker de stroming wordt, omdat dezelfde hoeveelheid water door een steeds kleinere opening wordt geperst. De *caissons* zouden dan gewoon wegspoelen. Voor het laatste deel moest daarom gebruik worden gemaakt van zogenaamde doorlaat*caissons*. Voor de bouw van deze *caissons* werd een *bouwdok*, Oostwatering, aangelegd tussen Veere en Vrouwenpolder. Doorlaat*caissons* bevatten afsluitbare gaten, zodat het water tijdens de bouw van de dam gewoon door het *caisson* heen kan stromen. Hiermee werd voorkomen dat de stroming steeds sterker zou worden naarmate de bouw vorderde.

Eerst werd het traject waar de dam zou komen verhoogd door zand op te spuiten. Vervolgens werd er een drempel van grote en kleine stenen aangebracht waarop de *caissons* stevig zouden kunnen staan. Tenslotte werden de *caissons* een voor een in het 320 meter brede gat geplaatst. Pas bij doodtij werden de schuiven in de *caissons* naar beneden gelaten. Vervolgens werden ze snel volgespoten met zand. Toen dat karwei achter de rug was, kon de dam afgemaakt worden. Er werd asfalt op gestort en een weg aangelegd.

Watersport op het Veerse meer.

Door de bouw van de Veerse Gatdam is het stadje Veere niet langer verbonden met de Noordzee. De vissersvloot van Veere vertrok vlak voor het sluiten van de dam, op 7 april 1961, naar het nabijgelegen Colijnsplaat. Het Veerse Meer is tegenwoordig een populair watersportgebied, vooral voor windsurfers.

Een van de negatieve gevolgen van de afsluiting van het Veerse Meer was schadelijke algengroei. Dat was natuurlijk niet goed voor het toerisme. Het is niet lekker zwemmen in een groene soep! Om het *brakke* water in het Veerse meer te kunnen verversen werd in 2002 begonnen met de bouw van de doorlaat 'Katse Heule' in de Zandkreekdam. Deze werd twee jaar later in gebruik genomen. Door de uitwisseling met het Oosterscheldewater is de situatie in het Veerse Meer sterk verbeterd. Het natuurlijk evenwicht is in korte tijd hersteld en waar vroeger de bodem niet te zien was, kan nu op veel plaatsen het planten- en dierenleven worden bekeken. Mossels, oesters en garnalen voelen zich thuis in dit zoute water. En de kleine getijdenbeweging is gunstig voor de natuur in het algemeen.

Er is nog een aanpassing aan de dam aangebracht. In april 2002 werd een tweede brug in gebruik genomen. Deze was nodig omdat de brug over de sluis lange files veroorzaakte in het verkeer over de drukke weg die over de Zandkreekdam loopt. Als nu de ene brug open staat, kan het verkeer doorrijden over de andere.

4. Grevelingendam en Volkerakdam

De Grevelingendam is een dam tussen Bruinisse op Schouwen-Duiveland en Goeree-Overflakkee (bij Oude Tonge). Deze dam is met zijn zes kilometer veel langer dan de twee dammen uit het vorige hoofdstuk. Wat de dam bijzonder maakt, is dat hij er niet in de eerste plaats voor is om het land te beschermen tegen overstromingen. De dam was nodig om te voorkomen dat in het Zijpe te grote stroomsnelheden zouden ontstaan.

Het Zijpe is het smalle stuk water tussen St. Philipsland en Schouwen-Duiveland. Hier was vroeger een veerboot die een belangrijke verbinding was voor het verkeer van Noord-Brabant naar Zeeland. Als men eerst de westelijke kant van het Grevelingen had afgesloten (met de Brouwersdam), dan was het heel goed mogelijk dat het water uit het Grevelingenmeer via het Zijpe en de Oosterschelde terug naar zee zou stromen. Aan de noordkant zou het water ook via het Haringvliet naar de Noordzee kunnen stromen. Ook was het mogelijk dat het water van het Haringvliet of de rivieren een weg zou zoeken door het Grevelingenmeer naar zee. Doordat de bouw van de Grevelingendam deze stromingen voorkwam, werd de bouw van de Haringvlietdam, de Brouwersdam en de Oosterscheldekering makkelijker. Bij het ontwerp werd niet alleen rekening gehouden met de eis dat het water tegengehouden moest worden, maar ook met de eisen die gesteld worden door het verkeer en de recreatie.

Waar moest de dam komen?

Aanvankelijk waren er vier mogelijke plekken waar de Grevelingendam kon komen. Bij alle trajecten was gekeken naar het doel van de dam, de prijs en het verkeer tussen Schouwen-Duiveland en Goeree-Overflakkee. Twee mogelijkheden vielen af omdat ze door heel diep water liepen. Bovendien waren ze erg lang waardoor ze te duur zouden worden. De overige twee mogelijkheden liepen via de Plaat van Oude Tonge direct naar de overkant. Dat is een veel kortere route. Van deze twee werd de goedkoopste variant uitgekozen.

Een revolutionaire techniek

De bouw van de dam begon in 1958. Bij Bruinisse werd voor de bouw een haven aangelegd. De Grevelingendam bestaat voor het grootste deel uit een dam op de met zand opgehoogde Plaat van Oude Tonge. Hierdoor bleven er nog twee gaten over: aan de noordkant de Bocht van Sint Jacob (de Krammer) en in het zuiden de Grevelingen.

Voor de zuidelijke geul werd een inmiddels bekende techniek gebruikt: eerst werd het gat gevuld met zand, zodat de maximale diepte nog slechts vijf meter bedroeg. Daarna trokken sleepboten op maat gemaakte drijvende doorlaat*caissons* naar de plek waar de dam moest komen. Vervolgens liet men de *caissons* zinken en werden ze gevuld met zand. Op 29 november 1962 was het zuidelijke deel van de dam klaar.

Voor het noordelijke deel van de dam bleken de vertrouwde *caissons* niet geschikt omdat het water te breed was. Daarom werd een voor die tijd *revolutionaire* techniek bedacht: met een kabelbaan werden stenen, grind en asfalt in het water gestort. *Rijkswaterstaat* ontwierp en bouwde de kabelbaan samen met een Frans bedrijf. De kabel werd gesteund door drie masten: één op de oever van Goeree-Overflakkee, één in het midden van het water op een *kunstmatig* eiland, en de derde op de Plaat van Oude Tonge. Daar verrees het laadstation, en werden ook kantelbare tegengewichten aangebracht die de kabel strak hielden.

De gondels hadden elk een eigen motor en werden bestuurd door chauffeurs. De gemiddelde snelheid waarmee ze reden was 18 km/u. Onder de gondels hingen netten van dikke ijzeren kettingen die verticaal bewogen konden worden. Iedere gondel woog tien ton (een ton is duizend kilo) en kon hetzelfde gewicht aan stenen meenemen. Het was spannend werk: de kabelbanen zwiepten heen en weer wanneer de stenen werden losgelaten. Er reden dag en nacht tien gondels over de kabelbaan die gezamenlijk per uur driehonderd ton materiaal in het water lieten vallen.

Een dijk houdt het water op afstand.

Sluis bij Bruinisse.

Tegenslagen

De kabelbaan werd in de periode 1962-1963 geplaatst. In het begin ging er echter van alles mis. Tijdens een test in augustus 1963 brak de vuistdikke (negen centimeter) kabel met eén enorme knal. Hierdoor raakten de bouwers drie maanden achter op schema. Uit onderzoek bleek dat men een te lichte klem had gebruikt. Dit kon makkelijk opgelost worden door deze door een grotere en sterkere te vervangen. Later bleken de stenen te klein voor de *mazen* van het net en vielen ze in het water voordat de gondel op de juiste plek was aangekomen. Men moest ter plekke zelf een oplossing bedenken voor dit probleem, want hier was in de hele wereld geen enkele ervaring mee. Eerst werden er stukken zeil in het net aangebracht, maar deze gingen al snel stuk. Daarom verving men het zeil door stukken rubber, dat werkte beter. Ook de koude winter

zorgde voor de nodige vertraging. Uiteindelijk stortten de gondels van de kabelbaan tussen augustus 1964 en februari 1965 hun lading in het water.
Omdat bijna alle stenen in het buitenland gekocht moesten worden, dreigde het project erg duur te worden. Daarom bedacht men een aantal manieren om het zand op de Plaat van Oude Tonge te gebruiken. Bij de eerste methode werd zand gemengd met water. De blubber die daardoor ontstond, werd in een enorme zak gespoten. Deze zakken wogen elk 2500 kilo! Bij de tweede manier werd het water vervangen door asfalt. De extra kosten voor het asfalt werden *gecompenseerd* doordat een ander type zak werd gebruikt, die goedkoper bleek. Voor de derde oplossing werd geen zak meer gebruikt, maar asfalt, gemengd met zand. Bij de laatste methode werd alleen zand in de zakken gedaan, waarna de lucht er uit werd gezogen, zodat de zak keihard werd.

Tijdens het bouwen van de dam moesten van tijd tot tijd metingen worden verricht om te kijken of alles wel goed ging. Men peilde de stroomsnelheden om te zien of er geen zand weg zou spoelen, want anders zouden de stenen niet op hun plaats blijven liggen. De peilingen gebeurden in een gebied dat zich tot 400 meter aan beide kanten van de toekomstige dam uitstrekte. De peilingen werden vanaf 1962 maandelijks uitgevoerd maar vanaf juli 1964 werden ze elke week gedaan.

Bij Bruinisse werd een sluis voor de scheepvaart gebouwd, de Grevelingensluis. Omdat voor de bouw van de Brouwersdam (aan de Noordzeekant van de Grevelingen) zeer grote schepen nodig waren om al het materiaal te vervoeren, werd de sluis extra groot ontworpen. De sluis werd daarom 125 lang en 16 meter breed. In april 1958 begon de bouw ervan en op 18 juni 1962 werd deze geopend voor de scheepvaart. Via de Grevelingensluis komt de scheepvaart op het Krammer. Over de Grevelingsluis is voor het drukke verkeer een tweede brug aangelegd. Hierdoor kan het verkeer blijven doorstromen, als één van de bruggen geopend is.

Door verschillende tegenslagen, zoals bij de kabelbaan, heeft de bouw van de dam ongeveer zeven jaar geduurd. Vlak voordat de Grevelingendam af was werd een deel van de dam verwoest door de januaristorm van 1965. Gelukkig kon men de schade snel herstellen. Pas op 1 april 1965 kon de minister van Verkeer en Waterstaat, Jan van Aartsen, de dam openen.

Monument

Het grote betonnen *verankeringsblok* van de kabelbaan aan de zuidzijde van het gat heeft *Rijkswaterstaat* niet gesloopt. Het dient nu als een soort monument ter herinnering aan de aanleg van de dam. In de loop der jaren hadden weer en wind deze kolos echter behoorlijk aangetast. Vandaar dat een aantal bedrijven eind 1994 het initiatief namen om het monument op te knappen. Op 19 januari 1995 droegen zij het geheel *gerenoveerde* gevaarte over aan *Rijkswaterstaat*.

De gevolgen

Het sluiten van de Grevelingendam had gevolgen voor de waterkwaliteit in de Oosterschelde. Het zoete en vervuilde water uit de Rijn en de Maas, dat eerst via de Grevelingen naar zee stroomde, kon dat nu niet meer. Het moest nu wel via het Zijpe naar de Oosterschelde stromen. Het gevolg hiervan was, dat het bij hoogwater meegevoerd werd tot achter in de Oosterschelde. Daardoor stierven niet alleen de oesters op die plaats uit, maar ook veel vissen en planten. De visserij en de oesterkwekers hadden daar dus erg onder te lijden. Toen op 24 april1969 de Volkerakdam klaar was, werd dit probleem opgelost. De toestroming van vervuild en zoet water hield op en, na ongeveer een jaar had het water van de Oosterschelde zijn oude zoutgehalte en zuiverheid weer terug. De kwaliteit werd zelfs nog beter dan die in het verleden ooit was!

*Bouw van de dam vanaf de Leidam in het Hellegat
naar Ooltgensplaat.*

De Volkerakwerken

Net als de Grevelingendam waren de Volkerakwerken bedoeld om
de bouw van andere dammen zoals de Haringvlietdam, de Brouwersdam en de Oosterscheldekering makkelijker te maken. De
Volkerakwerken bestaan uit drie delen: twee dammen en een brug.
Het geheel ziet er uit als een ster en wordt meestal voor het gemak
de Volkerakdam genoemd. Tegenwoordig heet alleen het oostelijke gedeelte Volkerakdam. De drie delen komen bij elkaar op het
Hellegatsplein, een *kunstmatig* eiland midden in de driesprong
waar het Haringvliet, het Hollands Diep en het Volkerak bij elkaar
komen.

De bouw van de Volkerakwerken begon in 1957 met de aanleg van een werkhaven bij Willemstad in Noord-Brabant. Bij het maken van de dam was er een meevaller: in het midden van het water was al rond 1930 een dam aangelegd om de stroom te geleiden: de Hellegatsdam. Zandzuigers spoten een 4,5 km lange dam op tussen deze dam en Goeree-Overflakkee. De dam loopt door een groot gebied met *zandplaten* dat zich op het snijpunt van het Hollands Diep, het Haringvliet en het Volkerak bevindt. De hele dam heet tegenwoordig ook weer de Hellegatsdam. Dit werk was al in 1958-1959 klaar. Tegelijkertijd werd midden in de driesprong waar Haringvliet, Hollands Diep en Volkerak samenkomen een kunstmatig eiland aangelegd. Dit gebeurde door een bestaande *zandplaat*, de Hellegatsplaat, op te hogen. Op dit eiland werd een groot verkeersknooppunt gebouwd, Het Hellegatsplein.

Een brug

Het tweede deel van de Volkerakwerken is een brug van het Hellegatsplein naar de Hoekse Waard. Deze brug maakte geen deel uit van het Deltaplan. Hier kon natuurlijk geen dam komen, want het water van de grote rivieren moet via het Haringvliet naar de Noordzee kunnen stromen. De Haringvlietbrug is 1200 meter lang en werd op 20 juli 1964 voor het verkeer geopend. Nu kon men met de auto vanuit een groot deel van Zeeland naar het vaste land van Zuid-Holland rijden, een hele vooruitgang! De reistijd werd hierdoor spectaculair korter. Bijzonder aan deze brug is dat hij niet door Rijkswaterstaat is gebouwd, maar door de NV Brugverbinding Goeree-Overflakkee en Hoekse Waard. Deze firma betaalde de bouw van de brug zelf.
De brug rust op tien pijlers. Door deze constructie is de brug te laag om met een zeilboot te kunnen passeren. Daarom is een deel van de brug kantelbaar gemaakt. Het succes van het verkeersknooppunt Hellegatsplein is zo groot dat er tegenwoordig gemiddeld vijf kilometer file per dag staat.

De Haringvlietbrug.

De derde en moeilijkste klus was de dam tussen het Hellegatsplein en Noord-Brabant. Het Volkerak is een onderdeel van de Schelde-Rijnverbinding, de vaarroute van Antwerpen naar Rotterdam. Daarom werd overleg gevoerd met België bij de aanleg van de dam. Het resultaat was dat er eerst twee sluizen werden gebouwd voordat begonnen werd met de bouw van de dam. Op die manier kon de scheepvaart gewoon doorgaan zonder last te hebben van het transport en het afzinken van de *caissons*. De sluizen werden gebouwd in een buitenpolder vlak bij Willemstad; ze zijn maar liefst 320 meter lang en 24 meter breed. Op 3 november 1967 werden de sluizen voor de scheepvaart geopend.

Hierna werd begonnen met de bouw van een dam over de Plaat

Bouw Volkerakwerken.

van Maltha, een zandplaat. Al een jaar later, op 21 december 1968, werd dit gedeelte van de dam voltooid.

Het gat wat nu nog overgebleven was, werd gedicht met veertien doorlaat*caissons*. Eerst werd weer een drempel gemaakt op de plaats waar de *caissons* moesten komen. De *caissons* waren zo gemaakt, dat ze aan elkaar vastgeklikt konden worden. De *caissons* werden leeggepompt waardoor ze gingen drijven. Vervolgens werden ze versleept tot vlakbij de drempel waar ze bovenop gezet moesten worden. Op het moment dat de stroomsnelheid van het water laag genoeg was, werden de *caissons* tegen de stroom in naar hun plek boven de drempel gesleept. Hiervoor had men een vloot van zeven sleepboten beschikbaar. Om de *caissons* in elkaar te klikken, werd het ene *caisson* schuin in het vorige gevaren. Hierna werd het net voor het keren van het tij rechtgedraaid. Daarna liet men ze zinken door ze vol te laten lopen met water. De *caissons* moesten zo snel mogelijk na elkaar geplaatst worden om te voorkomen dat de stroomsnelheid van het water te groot zou worden. Immers, hoe kleiner het overgebleven gat, des te harder het water er doorheen stroomt. Om de *caissons* stevig vast te zetten, vulde men bakken er bovenop met zand en aan de zijkanten van de *caissons* werden stenen gestort. Hierna werden een aantal overgebleven gaten met stenen dichtgestort. Op 28 april 1969 konden de schuiven van de doorlaat*caissons* worden neergelaten en was de dam dicht. Door de afsluiting van het Volkerak veranderde het getijde ten zuiden ervan. Daarom moesten de dijken in dit gebied versterkt worden.

Weer en wind

De bouw van deze laatste dam moest precies gepland worden. Men moest niet alleen rekening houden met de stroomsnelheid van het water en de wind, maar ook met de seizoenen. De *caissons* zouden geplaatst worden tussen 8 en 25 april omdat in die periode de minste stormen verwacht werden. Bovendien was de hoeveelheid water afkomstig van de Waal en de Maas in april minder groot dan in maart. De dam moest ook voor de herfst af zijn omdat er in dat seizoen nog wel eens stormen kunnen voorkomen. Men kon dus met deze enorme klus niet tot de zomer wachten.
Op 17 augustus 1970 werd de Volkerakdam voor het verkeer geopend. Maar helemaal klaar was hij hiermee nog niet. Al direct na de voltooiing van de twee sluizen zag men aankomen dat dat er te weinig zouden zijn . Tussen 1970 en 1975 werden daarom een derde sluis voor de vrachtvaart en een sluis voor de pleziervaart gebouwd. Prinses Margriet opende deze officieel op 25 juni 1977. Pas op 17 februari 1978 vond de officiële oplevering van de complete Volkerakwerken plaats. Waarschijnlijk zal er tussen 2020 en 2030 nog een vierde sluis bij gebouwd worden.

5. Haringvlietdam en Brouwersdam.

Nu de Grevelingendam en de Volkerakdam klaar waren, kon het echte werk beginnen: het afsluiten van de zeearmen van de Noordzee. De eerste dam werd de Haringvlietdam. Deze ligt tussen tussen Goeree en Voorne-Putten. Alleen, de Haringvlietdam is geen echte dam! Zoals we in het vorige hoofdstuk zagen, mag het Haringvliet niet volledig worden afgesloten. Daarom werd in het midden een stuk van een kilometer gemaakt waarin zeventien *spuisluizen* geplaatst zijn om het water van de grote rivieren naar de Noordzee af te voeren. Bij eb staan de sluizen open, bij vloed worden ze gesloten.

De bouw startte al in 1957, maar was pas in 1971 klaar - veertien jaar later! De Haringvlietsluizen worden wel eens de hoofdkraan van Nederland genoemd. Dat is niet overdreven: door de invloed van de Haringvlietdam stroomt er meer rivierwater via de noordelijke waterwegen naar zee. Dat beïnvloedt zelfs de zoetwatervoorziening van Noord-Nederland, omdat dit nu via de IJssel meer water uit de Rijn krijgt.

Eerst werden de *spuisluizen* gebouwd. De bouw hiervan begon met de aanleg van een rechthoekige ringdijk in een ondiep gedeelte midden in het Haringvliet. Hierin werd een grote, diepe bouwput uitgegraven. Deze was in 1958 klaar. Daarna werden de sluizen gebouwd, een klus die tien jaar zou duren. Men was alleen al drie jaar bezig met het in de grond slaan van 22.300 heipalen! De sluizen bevatten in totaal 34 stalen schuiven en kunnen per seconde 25.000 kubieke meter water doorlaten. Elke sluis is 56,5 meter breed. De schuiven gaan niet recht op en neer maar worden met een draaiende beweging geopend en gesloten. Dit gebeurt met behulp van elektromotoren. Hiervoor moest een eigen elektriciteitscentrale gebouwd worden, aangedreven door dieselmotoren. Die elektriciteit was ook nodig om de schuiven in de winter te kunnen verwarmen, zodat ze niet vast kunnen vriezen.

Tegelijkertijd met de bouw van de *spuisluizen* werden ook sluizen voor de scheepvaart gebouwd. Deze waren in 1964 klaar. Toen de sluizen voltooid waren, werd de ringdijk gesloopt en kon met de bouw van de eigenlijke dam worden begonnen. Er bleven drie gaten over. Het middelste, Zuiderdiep genaamd, werd gedicht met stenen.Het zuidelijke gat, dat Noord-Pampus heet, werd dichtgemaakt met zand. Dit gebeurde tussen 1965 en 1968. Het noordelijke en tevens grootste gat, de Rak van Scheelhoek, werd met behulp van een kabelbaan gedicht. Hiervoor werd dezelfde kabelbaan gebruikt die al eerder bij de bouw van de Grevelingendam was ingezet. Daarnaast werd het *prototype* getest van een nieuw soort gondel, dat ontworpen werd om later te worden gebruikt bij de bouw het zuidelijke deel van de Brouwersdam.

Betonblokken

Deze keer werden er geen stenen, grind of asfalt gebruikt, maar gooide men in totaal 140 duizend betonblokken in het water. Elke gondel vervoerde vier betonblokken, die van een stalen oog waren voorzien om makkelijk opgehesen te kunnen worden. De gondels, die door dieselmotoren werden aangedreven, gooiden 120 blokken per uur in het water. Doordat men negentig uur per week werkte, schoot het werk snel op. Maar ook deze keer ging er iets mis. Tijdens het draaien aan het eind van de baan, viel een gondel van de kabel en werd onherstelbaar beschadigd. Gelukkig was er een reservegondel, waardoor dit ongeluk geen vertraging veroorzaakte. Het storten van de betonblokken begon op 2 maart 1970 en was op 1 mei klaar. Hierna werden de blokken helemaal bedekt onder een dikke laag zand.

De Haringvlietdam.

De *spuisluizen* werden in november 1970 officieel gesloten. Een jaar later, op 15 november 1971, opende Koningin Juliana de hele Haringvlietdam voor het verkeer. Bij het bedieningsgebouw van de Haringvlietsluizen werd een voorlichtingscentrum, Expo Haringvliet, ingericht. Dit werd jarenlang zeer druk bezocht.

De gevolgen

De Haringvlietdam houdt het zoute zeewater tegen. Dat heeft tot gevolg dat de getijdenbeweging in de Biesbos sterk verminderd werd. Een ander gevolg is dat het Haringvliet altijd gevuld is met een enorme voorraad zoet water. Dat was ook de bedoeling, want dat is erg gunstig voor de landbouw op Goeree-Overflakkee, de tuinbouw in het Westland en de drinkwaterproductie op Goeree-Overflakkee en Schouwen-Duiveland. Maar zoals bij de afsluiting van het Veerse meer al was gebleken, kan dit grote gevolgen hebben voor planten en dieren. In de loop der jaren is men anders gaan denken over het tegenhouden van het zoute water. Daarom deed *Rijkswaterstaat* Zuid-Holland tussen 10 en 15 maart 1997 een proef. De sluizen werden voor de eerste keer een stukje opengezet om het zoute Noordzeewater het Haringvliet in te laten stromen. In 2004 werd besloten om per 2008 de Haringvlietdam gedeeltelijk te openen, maar in december 2007 werd dit uitgesteld tot december 2010. In die maand besloot de regering dat het toch niet doorging, zowel vanwege de hoge kosten (ruim 40 miljoen) als vanwege de schade die het zoute water landbouw zou kunnen toebrengen. Op 20 juni 2013 werd besloten om de Haringvlietsluizen in 2018 toch weer wel op een kier te zetten. De Nederlandse regering heeft namelijk afspraken met onze buurlanden gemaakt over het verbeteren van de mogelijkheden voor vissen om naar de stroomgebieden van de Rijn en de Maas te kunnen zwemmen. Door dit zogenaamde Kierbesluit wordt alleen het westelijke deel van het Haringvliet zout.

De Brouwersdam

De Brouwersdam sluit de Grevelingen af van de Noordzee. Hierdoor ontstond het Grevelingenmeer. Het werk aan de dam begon in 1963. Met een lengte van 6,5 kilometer was dit de langste dam die tot dan toe was gebouwd. De dam loopt vanaf Schouwen-Duiveland naar de zandplaat Middelplaat en vanaf daar via de Kabbelaarsplaat, ook een zandbank, naar Goeree-Overflakkee. Net als bij de Haringvlietdam werd handig gebruikgemaakt van deze zandbanken. Door ze op te hogen met zand, hoefde op die plek geen echte dam gebouwd worden, wat een hoop werk bespaarde. Omdat het water tussen beide zandbanken heel smal en ondiep was, besloot men van de twee zandbanken één grote te maken door de geul ertussen met zand op te vullen. Daardoor bleven er nog maar twee openingen over, een noordelijke en een zuidelijke. Het noordelijke gat werd met *caissons* gedicht. Voor het zuidelijke koos men voor de inmiddels bekende kabelbaan. Omdat bij de sluiting van beide gaten de sterke stroming voor problemen zou kunnen zorgen, besloot men beide gaten gelijktijdig af te sluiten. Hierdoor werd het probleem verdeeld.

De noordelijke geul, die 'De Kous' werd genoemd, was 800 meter breed en tien meter diep. Op de bodem van het gat werd een twee meter hoge drempel van steen gemaakt. Vanwege de hoge stroomsnelheid wilde men zo weinig mogelijk *caissons* afzinken. Deze moesten namelijk allemaal tot op de centimeter nauwkeurig op hun plaats gezet worden. In 1968 begon men met de bouw van de veertien enorme *caissons*, die elk 68 meter lang, 18 meter breed en 16 meter hoog waren. Twee waren gewone *caissons*, de andere twaalf doorlaat*caissons*. Elk doorlaat*caisson* had twaalf openingen van vijf meter breed. Toen alle *caissons* geplaatst waren, werden de kieren ertussen opgevuld met zand en grind, en de *caissons* opgevuld met zand en stenen. Op 3 mei 1971 werden de schuiven in de doorlaat*caissons* neergelaten.

Omdat het zuidelijke gat (het Brouwershavense Gat) te diep was,

De Haringvlietdam.

werd dit net als bij de Haringvlietdam gedicht met betonblokken die werden afgeworpen door een kabelbaan. Eerst werd echter een ongeveer anderhalve meter dikke laag stenen aangebracht. Over de betonblokken werd later weer een laag zand aangebracht. Er werden twee masten in het water geplaatst om de kabel te ondersteunen. Men heeft nog over twee andere soorten kabelbanen nagedacht, maar koos uiteindelijk toch voor hetzelfde type dat bij de bouw van de Grevelingendam was gebruikt. Men wilde graag gebruik maken van de ervaring die daarbij was opgedaan.

De totale lengte van de kabelbaan met de laadstations was bijna 1,8 kilometer. De kabelbaan moest zoveel lading kunnen vervoeren dat de klus maximaal negen tot tien weken zou duren. In het uiterste geval mocht dat vijftien weken zijn. De dam moest in ieder geval af zijn voordat de herfststormen konden beginnen. Daarom werden voor de Brouwersdam nieuwe gondels gebruikt. Deze wogen vijftien ton en konden ook even zoveel vracht vervoeren (zes betonblokken van 2,5 ton per stuk). De gondels die bij de Grevelingendam waren gebruikt, hadden een capaciteit van 'maar' tien ton, terwijl ze zelf twee keer zoveel wogen. De nieuwe waren dus veel efficiënter. Dat was onder andere te danken aan een ander soort motor.

Het prototype van de nieuwe gondel werd getest op de kabelbaan over het Haringvliet. In totaal werden er ruim 240 duizend betonblokken in het zuidelijke gat gedropt. Dit gebeurde tussen 17 maart en 28 mei 1971. Op 3 oktober 1972 was de dam inclusief de weg er overheen in zijn geheel klaar. Het Grevelingenmeer is een erg geliefde plek voor watersporters geworden, zoals zeilers en sportduikers. Het is het grootste zoutwatermeer van West-Europa.

Een milieuramp

Zoals bij het Veerse Meer al was gebleken, kan het afsluiten van een zeearm grote gevolgen voor de natuur hebben. Twee weken na de sluiting van de Grevelingen lag de oever vol met rottende

Monument voor de kabelbaan van de Grevelingendam.

planten en dieren. Veel soorten zijn namelijk afhankelijk van het zeewater voor hun zuurstof- en voedselvoorziening. Doordat bij het rotten van planten en dieren zuurstof verbruikt wordt, werd het probleem nog erger. Het zuurstofgehalte in het water daalde nog verder, waardoor nog meer dieren doodgingen. Deze gingen dan rotten wat ook weer zuurstof kostte, enzovoort.

Doordat er geen hoog- en laagwater meer was, kwamen bijvoorbeeld ook de scholeksters in de problemen. Zij leefden op de hogere oevers lang de Grevelingen, maar zochten hun voedsel bij eb op de *slikken*. Vanaf het moment dat de dam gesloten was, raakte dit voedsel heel snel op. De *slikken*, die normaal nat werden bij hoog water, droogden door het sluiten van de dam uit. Een deel van deze opgedroogde grond werd door de wind weggeblazen. Om dit proces te stoppen, werden grassen en granen gezaaid onder de grond bij elkaar te houden. Ook werden er schermen van takken geplaatst.

Na verloop van tijd is het met veel planten en dierensoorten toch nog goed gekomen. Sommige soorten zijn verdwenen, maar daar zijn weer andere voor in de plaats gekomen. Nieuwe vogelsoorten zijn bontbekplevieren, dwergsterns, kluten en strandplevieren. Zij gebruiken de drooggevallen *slikken*, wat schelpenrijke gronden zijn, als broedplaats. Toen er meer planten gingen groeien, kwamen er meer grutto's, kievieten, leeuweriken en tureluurs voor hen in de plaats.

De Hompelvoet, een eiland in het westelijk deel van de Grevelingen, is tegenwoordig de grootste broedplaats voor grote sterns in zuidwest Nederland. Er broedden daar ongeveer drieduizend paren. Dit eiland ligt ongeveer tussen Ouddorp op Goeree-Overflakkee en Brouwershaven op Schouwen-Duiveland, en is 3,1 vierkante kilometer groot. Het wordt ook wel Paardenplaat genoemd. De Hompelvoet is ontstaan uit een zandbank die na de sluiting van de dam in een eiland veranderde met ruige begroeiing. Er grazen het hele jaar fjordenpaarden en tussen mei en november worden ook koeien op het eiland gebracht. In het najaar kun je deelnemen aan een excursie naar het eiland.

De sluiting van de dam had nog meer gevolgen voor de natuur. Binnen korte tijd nam Groot zeegras 45 vierkante kilometer van de waterbodem in beslag. Na 1989 nam dit plantje echter weer met 95 procent af. Sommige vogelsoorten vinden het plantje erg lekker en komen er speciaal voor naar de Grevelingen. Tussen het zeegras zwemt weer de zwarte grondel, een visje dat vroeger niet in Nederland voorkwam. De oesters, erg belangrijk voor de Zeeuwse vissers, hadden gelukkig geen last van de bouw van de dam.

Brouwerssluis

Om de problemen met de natuur op te lossen, besloot men om een sluis in de dam aan te leggen om zeewater in de Grevelingen toe te kunnen laten. Deze Brouwerssluis werd tussen 1974 en 1978 gebouwd. Dankzij de sluis kon het zoutgehalte in de Grevelingen op peil worden gehouden en konden de vissen weer van en naar

Bouw van de Brouwerssluis.

zee zwemmen.. De sluis werd in juli 1978 in gebruik genomen. De sluis bestaat uit twee betonnen kokers van elk 195 meter lengte en een even lange vissluis. Voor de plaatsing van de sluizen moest een stuk van de Brouwersdam worden afgebroken. Dit gedeelte moest later weer gerepareerd worden.

Een voorbeeld van het belang van de sluis is de schol. De jonge schollen die in de Grevelingen zwommen, raakten de weg kwijt toen ze de dam tegen kwamen. Ze bleven daar in de buurt rondzwemmen. Toen dit bekend werd, gingen massa's hengelaars naar de dam om de schol te vangen. Deze zou bijna uitgestorven zijn als er geen nieuwe schollen waren uitgezet. Dankzij de Brouwersluis kunnen de schollen weer rustig naar de Noordzee zwemmen.

De toekomst

Ondanks de Brouwerssluis bleef de waterkwaliteit in het Grevelingenmeer langzaam achteruit gaan. Het zuurstofgehalte van het water bleef dalen. In de periode juli-augustus 2010 is een grote sterfte van dieren die op de bodem leven (zoals wormen en schelpdieren) waargenomen. Eerder was al vastgesteld dat het water op verscheidene plaatsen op diepten van meer dan tien meter zuurstofloos is. Dat was waarschijnlijk ook de oorzaak van oestersterfte in 2005 en 2006. In 2010 werd ontdekt dat in een deel van het meer het water zelfs al zuurstofloos is op diepten van vijf tot zes meter.

Daarom heeft *Rijkswaterstaat* in 2008 een onderzoek gedaan naar de verbetering van de waterkwaliteit en van het Grevelingenmeer. Daaruit bleek dat getijdenwerking juist een positief effect zou hebben op de natuur. Door bijvoorbeeld een doorlaat of een sluis in de Brouwersdam zou het getij weer gedeeltelijk hersteld kunnen worden. Voor een blijvende verbetering moet zo'n nieuwe waterdoorlaat dan wel vier tot acht keer zo groot zijn als de Brouwerssluis. Dat levert een verschil tussen eb en vloed op van dertig tot vijftig centimeter. Daardoor stijgt het zuurstofgehalte, herstelt het onderwaterleven en komen de oevers weer onder invloed van de eb- en vloedbeweging. In de opening kan een waterkrachtcentrale gebouwd worden die met behulp van het in- en uitstromende water schone elektriciteit kan opwekken.

In de Brouwersdam kan een sluis aangelegd worden, zodat watersporters de Grevelingen ook vanaf de Noordzee kunnen bereiken.

Op de waterkrachtcentrale moet een "inspiratiecentrum" komen. Dit bezoekerscentrum met een 26 meter hoge uitkijktoren zou 100.000 bezoekers per jaar naar het Grevelingenmeer moeten lokken. Natuur- en landschapsorganisaties en eigenaren van vakantiehuisjes in de buurt verzetten zich echter tegen de plannen. De uitkijktoren past volgens hen niet in het vlakke landschap en zou al van grote afstand zichtbaar zijn. Als antwoord op de protesten is het ontwerp aangepast. Het gebouw is drie meter lager geworden. Of de tegenstanders hiermee tevreden zijn, is niet bekend. Het is tijdens het schrijven van dit boekje dus nog niet zeker of het project doorgaat.

6. De Oosterscheldekering

In april 1967 startten de eerste werkzaamheden voor de bouw van een dam in de Oosterschelde. Zo stond het immers in het Deltaplan. Er werden twee werkhavens gebouwd en drie werkeilanden. Net als bij vorige dammen werden hiervoor *zandplaten* opgespoten. De werkeilanden Roggenplaat, Neeltje Jans en Noordland werden in de periode 1969-1971 aangelegd. Hierna werden verbindingsdammen tussen de werkeilanden gebouwd. En zo was aan het eind van 1973 in al vijf van de negen kilometer brede Oosterschelde afgesloten. Er bleven drie gaten over: Hammen, Schaar van Roggenplaat en Roompot. Deze zouden gesloten worden met betonblokken die gestort zouden worden door kabelbanen. In 1972 werden de twaalf masten hiervoor geplaatst.

Het vervolg zou echter heel anders gaan dan men had gedacht. De watersnoodramp was alweer twintig jaar geleden en niet iedereen vond het nog vanzelfsprekend om de Oosterschelde helemaal af te sluiten. Vooral de vissers waren hier heel erg tegen. Zij waren bang werkloos te worden. De Oosterschelde is het grootste visgebied van Zeeland. Vissen gebruiken de zeearm om er hun eieren te leggen en er worden veel oesters en mosselen gekweekt. Vooral in Yerseke was men fel tegen want afsluiting van de Oosterschelde zou het einde betekenen van de beroemde mossel- en oesterkwekerij. De tegenstanders stelden voor om de dijken te verzwaren als oplossing voor de veiligheid.

Actie

Op 19 december 1970 wordt er voor het eerst openlijk actie gevoerd tegen de sluiting. Minister Bakker van Verkeer en Waterstaat komt een brug openen in Middelburg. De jeugd van Yerseke schildert in metershoge witte letters 'Oosterschelde open' op de muur van een stationsgebouw. Overal in de omgeving worden stickers met dezelfde tekst opgeplakt. In januari 1971 wordt in Yerseke de Actiegroep 'Oosterschelde Open' opgericht.
Er werd op allerlei manieren actie gevoerd. Begin jaren zeventig kwam je het 'O'-symbool overal tegen in Zeeland. Het werd bijvoorbeeld met behulp van een sjabloon op wegen en muren geschilderd. Actievoerders hebben ook een keer de haven van Burgsluis met honderden schepen geblokkeerd. En iemand heeft eens 's nachts op de dijken met grote witte letters 'Deltamoordenaars' geschreven. Maar gevochten is er nooit.
Door het protest van de vissers gingen de kranten, de politiek, de televisie en de radio zich ermee bemoeien. De vissers kregen ook veel steun van anderen, bijvoorbeeld milieugroepen. Ook zeezeilers wilden de Oosterschelde openhouden omdat ze anders hun

Oosterscheldekering.

thuishavens in Veere en Zierikzee niet meer zouden kunnen gebruiken. Toch vond men het milieu in Zeeland niet zo belangrijk
als in de rest van Nederland.

In 1970 komt onder verantwoordelijkheid van de nieuwe minister
van Verkeer & Waterstaat, Drees jr., een onafhankelijk onderzoek
naar de afsluiting van de Oosterschelde. De werkzaamheden aan
de dam werden in juli 1974 tijdelijk stopgezet in afwachting van
een definitief besluit. In 1979 besluit de Tweede Kamer definitief
om een dam met waterdoorlatende schuiven te bouwen. De twaalf
masten voor de kabelbanen werden weer verwijderd.

De bouw

Om het geulenstelsel in de Oosterschelde niet te veranderen moest
de kering in de stroomgeulen, de diepste gedeelten, gebouwd worden. Alles wat men tot dan toe geleerd had bij de bouw van de vorige dammen, was nu opeens nutteloos. Nieuwe, speciale technie-
ken moesten worden uitgevonden om een groot aantal problemen

op te lossen. En er moesten speciale schepen gebouwd worden voor de bouw van de kering.

De bouw van de Oosterscheldekering begon in april 1976. Het eerste probleem waar de bouwers tegenaan liepen, was dat de zeebodem veel te slap was om zware betonnen pijlers te kunnen dragen. Daarom werd eerst slib weggebaggerd van de zeebodem en vervangen door zand. Maar het zand was zelf ook niet stevig genoeg. Het moest verdicht worden. Dat wil zeggen dat de zandkorrels dichter op elkaar komen te zitten, waardoor het geheel steviger wordt. Hiervoor moest een speciaal schip gebouwd worden: de Mytilus (mossel). Dit schip had vier enorme stalen pijpen die tot een diepte van vijftien meter in het zand werden geperst. Door de pijpen, die een diameter van ruim twee meter hebben, te laten trillen, werd het zand verdicht. Van begin 1980 tot eind 1982 was men hiermee bezig Met een eenvoudig proefje kun je zichtbaar maken hoe zoiets werkt. Neem een pak meel en giet dit in een voorraadbus. Kijk goed hoe hoog het meel in de bus staat. Stamp nu voorzichtig met de bus op een tafel. Je zult zien dat het meel nu iets gezakt is in de bus: het is verdicht.

Bovenop de stevige zandlaag werden kunststof matten gelegd, gevuld met zand en grind. Deze moesten voorkomen dat de zandkorrels onder de pijlers zouden wegspoelen. De matten zorgden er ook voor dat de ondergrond van de pijlers zo vlak mogelijk is. Voor het vervaardigen van de matten werd een aparte fabriek (teveel spaties!!!)

gebouwd. Voor het leggen van de matten moest een speciaal schip gebouwd worden: de Cardium (kokkel- een schelpdier). De matten werden in de fabriek op grote drijvende cilinders gerold. De Cardium zorgde er voor dat elke mat vervolgens op de zeebodem werd afgerold. Dit moest heel precies gebeuren en dat was een lastige klus. Er was namelijk maar een uur de tijd voor als het water in de Oosterschelde bijna stilstaat bij het keren van het tij. Gelukkig ging het niet één keer mis. De matten werden tussen november 1982 en juni 1984 gelegd. De kieren tussen de matten werden hierna volgestort met stenen. Het resultaat was zo goed dat het net zo vlak is als een voetbalveld. De laag met de matten is tweehonderd meter breed.

De pijlers

Er waren 65 enorme betonnen pijlers nodig voor de bouw van de kering. Deze werden gebouwd in drie grote bouwputten op Neeltje Jans. Tussen Schouwen-Duiveland en Noord-Beveland werd een tijdelijke brug aangelegd. Deze brug verbindt de eilanden met Neeltje Jans. Het werkeiland is meer dan tweehonderd hectare groot en heeft een eigen elektriciteitscentrale, een betonfabriek en een asfaltinstallatie. Behalve de pijlers werden hier ook de verbindingsbalken en de funderingsmatten gemaakt. Daarnaast dient Neeltje Jans ook nog als opslagplaats voor de stenen, die later rondom de pijlers gestort werden.

De pijlers waren enorme bouwwerken van dertig tot veertig meter hoog. De hoogte van de pijlers en schuiven hangt af van de plaats in de stroomgeul. Ondanks dat ze hol waren, wogen de grootsten

18.000 ton. In april 1979 begon de bouw van de pijlers. Het kostte anderhalf jaar om een pijler te bouwen. Elke twee weken werd aan de bouw van een nieuwe pijler begonnen. Voor het plaatsen van de pijlers moest ook een speciaal schip gebouwd worden: de Ostrea (oester). Dit schip tilde de pijler op en voer ermee naar de geul waar het geplaatst moest worden. Dat plaatsen moest gebeuren met een nauwkeurigheid van slechts enkele centimeters! Ook dit moest weer snel gebeuren tijdens het keren van het tij. Vervolgens werd het onderste deel van pijler gevuld met zand zodat hij stevig op zijn plaats blijft staan. In augustus 1983 werd de eerste pijler geplaatst. Door bezuinigingen is een van de gebouwde pijlers nooit gebruikt. Deze staat nog steeds op de plaats waar hij gebouwd is. Hij wordt nu gebruikt als oefenrots voor klimmers en als filmdecor.

Om de stevigheid verder te verhogen werd iedere pijler ingepakt in een drempel van stenen. Hiervoor werden enorme exemplaren met een gewicht tot wel tien ton gebruikt. Dat was nodig omdat kleinere stenen door de hoge stroomsnelheid weg zouden kunnen spoelen. Omdat deze stenen zo groot waren, konden ze niet zomaar in het water gegooid worden. Ze zouden dan de pijlers kunnen beschadigen. Hiervoor werd alweer een speciaal schip gebruikt: de "Trias". Dit schip had een lange schuifarm, waarmee de grote stenen voorzichtig op hun plek konden worden gelegd. Er werd in totaal vijf miljoen ton natuursteen gebruikt. Die was in Nederland niet te vinden en moest uit diverse landen ingevoerd worden.

De schuiven

Toen alle pijlers geplaatst waren, werden ze met elkaar verbonden door twee balken en helemaal bovenaan een koker. In deze koker werd de apparatuur voor het aandrijven en bedienen van de schuiven geplaatst. Bovenop de koker werd een weg aangelegd. De onderste van de twee balken dient als drempel waarop de schuif komt te rusten. Bovenop elke pijler werd een opzetstuk

De weg over de Oosterscheldekering.

geplaatst. Aan deze opzetstukken werden de schuiven tussen de pijlers opgehangen. De schuiven zijn gemaakt van stalen buizen met aan de buitenkant stalen platen. Door dit slimme ontwerp zijn ze veel lichter en goedkoper dan wanneer ze van massief staal zouden zijn gemaakt. Ze zijn ongeveer 42 meter lang en tussen de zes en twaalf meter hoog. Het gewicht van de schuiven ligt tussen de 260 en 480 ton.

Op 26 juni 1986 werd de laatste schuif geplaatst. De stormvloed-kering werd op 4 oktober 1986 geopend door Koningin Beatrix. Hierbij sprak zij de bekende woorden "De stormvloedkering is gesloten. De Deltawerken zijn voltooid. Zeeland is veilig". De weg over de kering ging echter pas open in november 1987. Pas in juli 1988 waren de laatste werkzaamheden aan de kering ten klaar.

Als alle schuiven openstaan, blijft 75 procent van de originele getijdenbeweging in werking. Voor de scheepvaart is in het zuidelijk deel van Neeltje Jans de Roompotsluis gebouwd. Deze werd in februari 1984 in gebruik genomen. Dankzij de stormvloedkering

is de kans op een overstroming nu minder dan één maal per vier-
duizend jaar. Voor de watersnoodramp was die kans eenmaal per
tachtig jaar. Een groot verschil!
Door technische tegenvallers is de Oosterscheldekering veel duurder geworden dan oorspronkelijk was berekend. Meer dan de helft
van de totale kosten van de deltawerken is uitgegeven aan het gedeeltelijk afsluiten van de Oosterschelde. Op Neeltje Jans is een
gedenksteen geplaatst met de toepasselijke tekst: "Hier gaan over
het tij: de maan, de wind en wij".

Het beheer van de stormvloedkering

De Oosterscheldekering wordt bediend vanuit het ir. J.W. Topshuis,
een bedieningsgebouw dat op Neeltje Jans staat. Gemiddeld één
keer per jaar moeten de schuiven omlaag vanwege een extreem
hoge waterstand. Wat is extreem hoog? Dat is als er een waterstand van meer dan +3 meter NAP wordt verwacht. Dan gaat de
kering dicht. Uiteraard gebeurt dit ruim van tevoren, want het

De Oosterscheldekering is gesloten.

sluiten van de kering duurt een uur. Ook is een waarschuwingssysteem ontwikkeld, dat met de meerdaagse weersvoorspellingen rekening houdt. Als er bij hoge waterstanden iets mis gaat met de alarmering of de bediening, is er het noodsluitsysteem. In dat geval zal de computer op basis van de gemeten waterstanden de schuiven automatisch sluiten. Om er zeker van te zijn dat het systeem werkt, worden er regelmatig testsluitingen uitgevoerd. Elke schuif wordt één keer per maand getest. De kering kan geheel of gedeeltelijk worden gesloten. Bij een gedeeltelijke sluiting gaan de schuiven ongeveer een meter naar beneden. Een volledige testsluiting van de kering vindt plaats bij laag water vlak voordat de vloed opkomt. Op die manier wordt het milieu zo weinig mogelijk belast. Na de sluiting gaan de schuiven meteen weer open. Zo hoeft de Oosterschelde geen getijdenbeweging teveel te missen.

Deltapark Neeltje Jans

Op het eiland Neeltje Jans is een attractiepark gebouwd waar van alles over de deltawerken te zien is. Een orkaanmachine met grote ventilatoren kan windsnelheden tot boven de 100 km/u opwekken, windkracht 12. Je moet wel eerst een veiligheidsbril opzetten voordat je aan den lijve kunt ervaren hoe dat voelt. Er is een tentoonstelling over de watersnoodramp van 1953 en er zijn films over de bouw van de deltawerken te zien. En er is een groot zeeaquarium te bewonderen. Deltapark Neeltje Jans is de drukst bezochte attractie van de hele deltawerken.

7. De compartimenterings-werken

Dankzij de Stormvloedkering bleef de Oosterschelde
in verbinding met de Noordzee. Maar toch kon er niet
zoveel water in- en uitstromen als vroeger. De getijdenwerking nam met een kwart af. Dat betekende dat op
veel plaatsen de *schorren* toch droog vielen, terwijl ze
anders bij vloed altijd onderliepen. Om het waterpeil te
verhogen besloot men de Oosterschelde kleiner te maken.
Daarvoor werden vooral in het oostelijk deel van de
Oosterschelde een aantal dammen en sluizen aangelegd.
Dit noemt men de Compartimenteringswerken. (com-
partimenteren betekent in vakken verdelen, zoals bijvoorbeeld in een ladekast). Het zijn: de Philipsdam, de
Oesterdam de Markiezaatskade, het Bathse Spuikanaal
en de Bathse Spuisluis.

Deze dammen hadden nog een belangrijke functie: zorgen voor
een stabiel waterpeil in de Schelde-Rijnverbinding. Dat hadden
Nederland en België in 1968 afgesproken. Deze vaarweg is van
groot belang voor de bereikbaarheid van de haven van Antwerpen. De dammen zorgen ook nog voor voldoende zoet water in
West-Brabant. Doordat er zoete randmeren ontstonden, kwam er
genoeg water beschikbaar voor de landbouw, die lang last had ge-
had van *verzilting*.

De Philipsdam

De Philipsdam loopt van de Grevelingendam naar Sint Philipsland.
De bouw van de dam begon eind 1976 met het aanleggen van een

werkeiland op een zandplaat: de Plaat van Vliet. Dit duurde ander-half jaar. Daarna startte de bouw van enkele sluizen: de Krammersluizen. Deze zijn technisch erg ingewikkeld. Ze moeten ervoor zorgen dat er geen zoet water van het Volkerak naar het zoute water van de Oosterschelde kan stromen en omgekeerd. De sluizen voor de binnenvaart zijn 280 meter lang en 24 meter breed, zodat er ook grote duwboten met vier bakken door kunnen. In 1983 waren de Krammersluizen klaar. De dam zelf was pas op 2 februari 1987 helemaal klaar.

Door de aanleg van de Philipsdam is het landschap eromheen erg veranderd. Door aanslibbing zijn er *kwelders* ontstaan met een rijk dierenleven zoals vogels. De dam veroorzaakte ook een vervelend probleem in het Krammer en het Volkerak. Doordat het zoete water nu stilstond, ontstond er een ware muggenplaag boven het water en de omgeving daarvan. Dit komt doordat muggen hun eitjes in stilstaand zoet water leggen. Deze plaag was zo hevig dat het verkeer en de scheepvaart er grote hinder van ondervonden. Om de plaag te bestrijden zette men vissen (ruisvoorn) uit, die de muggenlarven opeet. Maar de dam was ook goed voor het verkeer. Het was nu mogelijk om rechtstreeks van Brabant naar Schouwen-Duiveland te rijden. De veerboot van Anna Jacobapolder naar Zijpe, die vaak voor files zorgde, was hierdoor overbodig geworden.

De Markiezaatskade: een rampenplan

Deze dam werd tussen 1981 en 1983 aangelegd om de bouw van de Oesterdam makkelijker te maken. Daarnaast moest de dam er voor zorgen dat de stroomsnelheid in het Schelde-Rijnkanaal niet te hoog kan worden. Nederland en België hadden afgesproken dat het Schelde-Rijnkanaal niet door getijdenwater mocht gaan. Het water tussen de Markiezaatskade en Noord-Brabant wordt het Markiezaatsmeer genoemd. De dam is vier kilometer lang. Hij loopt van Zuid-Beveland naar de Molenplaat, een schiereilandje voor Bergen op Zoom.

De bouw van de dam begon op 2 januari 1981. Het leek een eenvoudige klus: zand opspuiten, verstevigen met stenen en klaar is Kees. Een techniek die al zo vaak gebruikt was, wat kon er mis gaan? Nou, heel veel dus. Men wilde de hele dam bouwen door zand op te spuiten. Dat is namelijk het goedkoopst. Maar tijdens de aanleg van het zuidelijke deel van de dam zonk het net opgespoten zand steeds weg in de bodem. Ook kwamen er bij het opspuiten van het zand grote brokken veen naar boven. Bij de bouw van het noordelijke deel van de dam gebeurde hetzelfde. Dat leverde een grote vertraging op. Er moesten eerst verbeteringen in de grond worden aangebracht.

Maar dat was niet het enige probleem. Door de bouw van de dam ontstonden er in het Markiezaatsmeer sterke stromingen. Hierdoor gebeurden er in vier maanden tijd zes scheepsongevallen. Men moest dus opschieten met het voltooien van de dam. Om de stroming in het Markiezaatsmeer te verminderen werd het gat vergroot tot 250 meter. Om dit laatste stuk te dichten, moesten toch stenen worden gebruikt. Deze werden in een soort hoefijzervorm gelegd, zodat er nu een vreemde knik in de dijk zit. Tijdens het herstel gebeurde het onverwacht weer dat er stukken van de bodem loslieten. Dit probleem werd tegengegaan door betonblokken op de bodem te storten. Er ontstond opnieuw vertraging toen een zware storm in de nacht van 10 op 11 maart 1982 het westelijke deel van de dam beschadigde. Er werd een gat van 150 meter breed geslagen. Op 20 maart 1983 was de klus eindelijk geklaard.

Het Markiezaatsmeer

Het meer is ongeveer duizend hectare groot. Vóór de afdamming was er nog een getijdenverschil van wel vijf meter. Het Markiezaatsmeer is een belangrijk natuurgebied geworden. Het wordt elk jaar door honderdduizenden trekvogels bezocht. Het meer behoort tot de vijf belangrijkste vogelgebieden van Nederland. Jaarlijks komen er 125 soorten broeden. Het meer heeft ook een belangrijke functie als zoetwatervoorraad voor de omgeving.
In het meer werd een zandplaat opgespoten: de Bergse Plaat. De gemeente Bergen op Zoom vond dit een mooie gelegenheid om hier in 1991 een nieuwe woonwijk te bouwen. De 8000 bewoners hebben 's zomers echter heel erg last van muggen. Deze bijten gelukkig niet, maar het zijn er zoveel dat je buiten niet kunt zitten of de was ophangen. Ook wordt de kwaliteit van het water in het meer steeds slechter: er zijn veel algen. 's Zomers is zwemmen al heel lang verboden. Er wordt al lange tijd gezocht naar een oplossing. Vogels zijn losgelaten om de muggen op te eten en roofvissen moeten zorgen voor een betere waterkwaliteit. Maar dit alles heeft tot nu toe niet geholpen.

De Oesterdam

De Oesterdam loopt van Tholen naar Zuid-Beveland in het oostelijke deel van de Oosterschelde. De dam is 10,5 kilometer lang en daarmee de langste dam van de Deltawerken. Volgens inmiddels beproefd recept begon de bouw van de Oesterdam in 1979 met de aanleg van een werkeiland. Dit was een jaar later klaar. De rest van de dam werd vervolgens in gedeelten aangelegd door zand op te spuiten. Dit was veel goedkoper dan stenen waarvoor misschien ook weer een kabelbaan nodig zou zijn. Men kwam echter in de problemen doordat de stroomsnelheid van het water steeds groter werd naarmate het overgebleven gat kleiner werd. Het leek erop dat dit gat (het Tholense Gat) toch met stenen gesloten moest worden. Om meer geld te besparen, wachtte men tot 1986. Toen was de stormvloedkering in de Oosterschelde klaar en werd deze twee dagen gesloten. Hierdoor stond het water tijdelijk stil en kon de dam met zand voltooid worden. Het duurde daarna nog drie jaar om een weg aan te leggen over de dam. In 1989 werd deze officieel geopend. Door de aanleg van de Oesterdam ontstond het Zoommeer, dat tussen de dam en de Markiezaatskade ligt. De dam loopt voor een deel evenwijdig aan de Markiezaatskade.

Het Zoommeer.

Bathse Spuikanaal en Spuisluis

Bij het dorpje Bath, aan de zuidoever van Zuid-Beveland is het Bathse spuikanaal aangelegd. Dit dient om zoet water af te kunnen voeren van het Zoommeer en het Schelde-Rijnkanaal naar de Westerschelde. De *spuisluis* wordt ook gebruikt voor het lozen van water uit West-Brabant, dat via het Schelde-Rijnkanaal wordt afgevoerd. Het kanaal is 8,4 kilometer lang en 140 meter breed. Het loopt evenwijdig aan het Schelde-Rijnkanaal. De sluis bestaat uit zes betonnen kokers waardoor het zoete water in de Westerschelde stroomt. Hiervoor zijn geen pompen nodig. Per dag kan maximaal 8,5 miljoen kubieke meter water afgevoerd worden. Als het water niet zou worden afgevoerd, zou het waterpeil in het Zoommeer teveel stijgen. Het peil stijgt steeds door grondwater dat vanaf het land het meer inloopt.

De bouw van het kanaal en de *spuisluis* begon in 1980. Ze waren in 1987 klaar. Een deel van de grond die bij het graven van het spuikanaal is vrijgekomen, is gebruikt voor de aanleg van het zuidelijke deel van de Oesterdam.

8. De Maeslantkering

Toen de Oosterscheldekering klaar was, leek het erop dat het laatste grote onderdeel van de Deltawerken voltooid was. Omdat de verbinding tussen Rotterdam en de zee open moet blijven, zouden alleen nog even de dijken langs de Nieuwe Waterweg verhoogd moeten worden. Nou ja, even... Dat bleek in de praktijk nogal tegen te vallen. Om de dijken voldoende hoog te maken, moesten ze ook breder worden en dat nam te veel ruimte in beslag. Bovendien zou dit alles heel erg duur worden.

Daarom besloot de regering in 1987 om bij Hoek van Holland nog een stormvloedkering te bouwen – iets wat in het oorspronkelijke Deltaplan niet was voorzien. Een ander voordeel hiervan was dat deze oplossing sneller uitgevoerd kon worden dan de geplande dijkversterkingen. Dat was geen eenvoudige opgave: het trucje dat voor de Oosterschelde gebruikt was, kon hier niet gebruikt worden want dan kunnen er geen schepen door varen.

Er werd een prijsvraag uitgeschreven voor de beste oplossing van dit probleem. De winnaar had iets heel slims bedacht. In de oevers werden twee ronde stalen deuren geplaatst die vastzitten op lange stalen armen. Elke arm is net zo lang als de Eifeltoren hoog is! De twee deuren, elk zo hoog als een flatgebouw van vijf verdiepingen, drijven op het water. Als er een storm is, draaien de armen naar het midden van het water. Dit duurt een halfuur. Kleppen in de deuren worden geopend waardoor ze vol stromen met water en op de bodem terechtkomen. Het sluiten duurt twee uur. Op de bodem bevindt zich een drempel waar de deuren op steunen waardoor het geheel waterdicht afsluit. Vier uur voor de sluiting wordt aan alle schepen gemeld dat ze er tijdelijk niet langs kunnen. Als de storm voorbij is, wordt het water uit de deuren gepompt. Ze gaan weer drijven en worden weer in hun bergplaats gedraaid. De bouw van

De Maeslantkering.

de kering begon in 1991 en in 1997 was hij klaar.
De Maeslantkering is heel sterk en kan een vloedgolf van vijf meter boven *NAP* tegenhouden. In 2001 bleek dat de deuren niet
altijd goed sluiten. De kans dat dit zou gebeuren was één op tien,
een betrouwbaarheid van 90 procent. Dat was te weinig. *Rijkswaterstaat* heeft verbeteringen aangebracht waarna de betrouwbaarheid is gestegen naar 99 procent. Een keer per jaar wordt de
Maeslantkering getest. De kering wordt pas gesloten als er in Rotterdam waterstanden van meer dan drie meter boven *NAP* worden
verwacht. Deze beslissing wordt door een computer genomen. Dat
is tot nu toe pas één keer gebeurd: op 9 november 2007. Overigens
zijn de dijken langs de Nieuwe Waterweg en de Nieuwe Maas be-
stand tegen waterstanden van 3,42 meter boven *NAP*.
Aan de noordzijde van de Maeslantkering vind je het Keringhuis,
een gratis bezoekerscentrum waar een schaalmodel van de kering
te zien is. Sinds de opening in 1996 hebben al bijna 1,2 miljoen
bezoekers de tentoonstelling bezocht.

63

Verklarende woordenlijst

Amfibievoertuig
Voertuig dat zowel kan rijden als varen.

Bouwdok
Werkplaats die onder water gezet kan worden

Brak water
Water dat minder zout is dan zeewater, maar zouter dan zoet water.

Caissons
Enorme betonnen bakken

Gecompenseerd
Een tekort verlichten door er iets anders tegenover te zetten

Gerenoveerd
Vernieuwd

Hevel
Een buis waarvan de uitgangsopening lager ligt dan de ingangsopening en die gebruikt wordt om een vloeistof naar een andere plek te laten stromen.

Kunstmatig
Door mensen gemaakt

Kwelder
Een begroeide buitendijkse landaanwas die bij een gemiddeld hoogwater niet meer onderloopt

Mazen
Gaten

NAP
(Normaal Amsterdams Peil) De gemiddelde zeespiegelstand.

Prefabhuizen
Huizen waarvan grote onderdelen van tevoren in een fabriek zijn gemaakt,waardoor ze heel snel in elkaar gezet kunnen worden.

Prototype
Testmodel

Revolutionaire
Vernieuwende

Rijkswaterstaat
Dienst van het Ministerie van Verkeer- en Waterstaat die verantwoordelijk is voor onderhoud van dijken en waterwegen.

Schor
Stuk land net buiten een dijk dat alleen nog bij zeer hoog water onderloopt.

Slik
Stuk grond net buiten een dijk dat droog valt bij laagwater.

Spuisluis
Een sluis die dient om overtollig water af te voeren (spuien). Wordt ook wel uitwateringssluisgenoemd

Verankeringsblok
Groot blok met ankers om alles stevig vast te zetten

Verzilting
het zout worden van

Zandplaat
Een zandplaat of zandbank is een ophoping van zand op de bodem van de zee. Soms steekt deze boven het water uit.

Bronnen

Boeken:

1. De ramp, (speciaal uitgegeven boek om geld in te zamelen), Auteur onbekend, Uitgever: Vereeniging ter Bevordering van de Belangen des Boekhandels, Amsterdam, februari 1953.

2. De deltawerken, M. ter Horst, M. Huijzer, G. Beernink, H. Bishoff, uitgeverij Noordhoff, Groningen , 2011, ISBN 9789001714772.

3. Een halve eeuw na de watersnoodramp,   H.L.A. Scholten, F. M. Wiedijk en L. Scholten, Bears Publishing, Almere, 2003, ISBN 9054959002.

4. 50 jaar geleden, 50 jaar verder; februariramp 1953, R. Antonisse, Uniepers, Abcoude, 2002, ISBN 9068252917.

Websites:
www.deltawerken.com
www.neeltjejans.nl
www.keringhuis.nl (Maeslantkering)
www.zeeuwsarchief.nl
www.geschiedeniszeeland.nl
www.onwijsnat53.nl
www.zeeland.nl/kust_water/deltawerken
www.watersnoodmuseum.nl
www.omroepzeeland.nl/watersnoodramp
www.schooltv.nl/vroegerenzo
(Klik op "voor je werkstuk" en gebruik de zoekfunctie)
www.nieuwsdossier.nl/tag/deltawerken
www.scholieren.com
www.nieuwsdossier.nl
www.historischnieuwsblad.nl

Meer lezen:
1. Watersnoodramp, Christine Bruggink, Ellessy, 2012 (WWW-serie, nr. 20). ISBN 9789086601271
2. Watersnoodramp (1953), Kees Slager, De Buitenspelers, 2010. ISBN 9789071359132
3. Oosterschelde, windkracht 10 (jeugdroman),Jan Terlouw, 2011. ISBN 9789060692790

Reeds verschenen
in de WWW-reeks:

Deel 30 Formule 1
Ton Vingerhoets
ISBN 978-90-8660-024-3

Deel 31 Vuurwerk
Ton Vingerhoets
ISBN 978-90-8660-025-0

Deel 32 Graffiti
Nora Iburg
ISBN 978-90-8660-026-7

Deel 33 Vietnam-oorlog
Ton Vingerhoets
ISBN 978-90-8660-044-1

Deel 34 Kleurenblindheid
Carla Gielens
ISBN 978-90-8660-045-8
NOG NIET VERSCHENEN!

Deel 35 Artsen Zonder
Grenzen
Pauline Wesselink
ISBN 978-90-8660-046-5

Deel 36 Loverboys
Yono Severs
ISBN 978-90-8660-047-2
ISBN 978-90-8660-047-2

Deel 37 Doping
Ep Meijer
ISBN 978-90-8660-048-9

DEEL 38 NOG NIET VERSCHENEN

Deel 39 Tienermoeders
Yono Severs
ISBN 978-90-8660-055-7
Deel 40 Gothic
Suzanne Peters
ISBN 978-90-8660-056-4

Deel 41 Jack the Ripper
Ton Vingerhoets
ISBN 978-90-8660-057-1

Deel 42 De Chinese Muur
Ton Vingerhoets
ISBN 978-90-8660-074-8

Deel 43 Drugsverslaving
M. Gay-Balmaz en
M. Kooiman
ISBN 978-90-8660-075-5

Deel 44 Kinderarbeid
M. Kooiman en
M. Gay-Balmaz
ISBN 978-90-8660-076-2

Deel 45 Greenpeace
Rudy Schreijnders
ISBN 978-90-8660-087-8

Deel 46 Attractieparken/
pretparken
Christine Bruggink
ISBN 978-90-8660-088-5

Deel 47 Games
Suzanne Peters
ISBN 978-90-8660-140-0

Deel 48 Hulphonden
Myrte Gay-Balmaz/Margreeth
Kooiman
ISBN 978-90-8660-120-2

Deel 49 Ramadan
Brigitte Dam
ISBN 978-90-8660-189-9

WWW-TERRA

Deel 1 Indonesië
Saskia Rossi
ISBN 978-90-8660-009-0

Deel 2 Tibet
Esther Nederlof
ISBN 978-90-8660-010-6

Deel 3 Oostenrijk
Yono Severs
ISBN 978-90-8660-011-3

Deel 4 Friesland
Yono Severs
ISBN 978-90-8660-012-0

Deel 5 Canada
Pauline Wesselink
ISBN 978-90-8660-013-7

Deel 6 Suriname
Pauline Wesselink
ISBN 978-90-8660-027-4

Deel 7 Thailand
Yono Severs
ISBN 978-90-8660-028-1

Deel 8 Turkije
Yono Severs
ISBN 978-90-8660-029-8

Deel 9 De Wadden
Yono Severs
ISBN 978-90-8660-030-4

Deel 10 Duitsland
Carla Gielens
ISBN 978-90-8660-043-4
NOG NIET VERSCHENEN!

Deel 11 Italië
Saskia Rossi
ISBN 978-90-8660-058-8

Deel 12 Israël
Wilfred Hermans
ISBN 978-90-8660-059-5

Deel 13 Zuid-Afrika
Pauline Wessclink
ISBN 978-90-8660-122-6

Deel 14 Portugal
Carla Gielens
ISBN 978-90-8660-109-7

WWW-MUZIEK

Deel 1
Breakdance/Streetdance
Carla Gielens
ISBN 978-90-76968-84-1

Deel 2 The Beatles
Azing Moltmaker
ISBN 978-90-8660-156-1

WWW-SPORT, SPEL & DANS

Deel 1 Skateboarden
Dolores Brouwer
ISBN 978-90-8660-039-7

Deel 2 De geschiedenis van
de Olympische Spelen
Saskia Rossi
ISBN 978-90-8660-061-8

Deel 3 De geschiedenis
van het voetbal
Josée Wouters
ISBN 978-90-8660-123-3

Deel 4 Linedance
Suzanne Peters
ISBN 978-90-8660-078-6

WWW-BEROEPEN

Deel 1A Werken in de sport:
Topsport
Esther Nederlof
ISBN 90-76968-69-1

Deel 1B Werken in de sport:
Recreatiesport
Petra Verkaik
ISBN 978-90-8660-018-2

Deel 2 De kraamverzorging
Carla Gielens
ISBN 90-76968-49-7

Deel 3 De kapster/kapper
Yono Severs
ISBN 90-76968-91-8

DEEL 4 EN 5 NOG NIET
VERSCHENEN

Deel 6: Werken in de
dierentuin
Suzanne Peters
ISBN 978-90-8660-040-3

DEEL 7 NOG NIET VERSCHENEN

Deel 8 Werken in de horeca
Suzanne Peters
ISBN 978-90-8660-042-7

Deel 9: Werken als piloot
Jan van Evert
ISBN 978-90-8660-060-1

Deel 10: Werken in het
Dolfinarium
Suzanne Peters
ISBN 978-90-8660-077-9

DEEL 11 NOG NIET VERSCHENEN

Deel 12A:
Werken in de manege
(Werken met paarden)
Edith Louw
ISBN 978-90-8660-107-3